U0127073

日林斯卡娅

当代俄罗斯画家作坊
中国湖南美术出版社

编辑室手记·代丛书前言

那片生长着列维坦的白桦和希什金的松树的土地，离我们亦远亦近。本世纪的后半个世纪，我们与之有两次相遇。两次相遇的中间，有着一个长长的休止。

第一次的相遇，双方保持着一种友好热情的偏正关系。这一种热情，在我们这里，还带有几分虔诚。单就美术方面，我们的许多优秀人材负笈涅瓦河畔，秉承着波罗的海的阳光；马克西莫夫跨越千山来到京城，给我们的调色板带来了西伯利亚松节油的气息。我们在美术教学、创作上，从学校建制、教学体系、创作主题和题材、创作样式和风格，对苏联同行给予了最大的认同。并且，借此生发了对俄罗斯美术的关注，特别是对俄罗斯巡回画派的关注。列宾、苏里科夫、列维坦、希什金在自己作品中所表达的人文情怀的魅力，是中国画家心目中一道“永恒的风景”。

60年代一来临，话语中心的意识形态分歧给这一次相遇画了一个匆匆的句号。

匆匆的句号，转换成长达30年的休止符号。30年间，只有零星点点的鸡鸣之声相闻。等到第二次相遇时，世界沧桑，相互都得刮目相看了。与第一次相遇比较，第二次相遇是在“这里的黎明静悄悄”的时刻，始于“民间”，始于“边贸”。先有“俄罗斯姑娘到哈尔滨”，再有“俄罗斯美术百年巡礼展”来北京。没有了“偏正关系”，双方显得更自如、平和而亲近。第二次相遇还有一个不同点，那就是我们的视角向度变了。第一次相遇时，我们是通过苏联的艺术资讯了解了一些西方(主要是欧洲)的艺术传统。第二次相遇，是在我们通过改革开放，大量获得西方艺术的资讯以后，再把目光移向俄罗斯。后一种文化观望的目光，会更为自觉，更为内在，更为理性，更为自省，相信会更有收获。艺术，人类生命的恻隐之光，断然不会隔离渴望诗意地生存在地球上的人们。

机遇降临在我们编辑奔波的旅途上时，市场的书架上已陈列多种关于俄罗斯美术的画册，它来得似乎晚了一点。但这样也好，使得我们放弃固有的现成的思路，另辟蹊径，去丰富自己的识见，考验自己的决断能力，磨砺自己在异质文化中的生存意志。敲开一间间画室那有世纪感的松木大门，面对一间间画室里数量惊人的画作，那种丰富的实在，消解了抽象的对机遇的抱怨。俄罗斯艺术家在年轻的时候，大都经历过学院严格的专门训练，一旦找到个性化的创作语言，则反复锤炼，很少游离开去，经历着“朝圣”般的执著追求。这份执著，使人想到尼·别尔嘉耶夫（俄罗斯19世纪伟大的思想家、哲学家）所说的俄罗斯所特有的弥赛亚意识。这种精神崇拜因素源于正义感、同情心和自尊心。他们追求在一切有限的东西中，去揭示终极的道理，去启示一种对于祖国、民族、土地的高尚的献身情感。陀思妥耶夫斯基，是精神崇拜因素最为强烈的一个俄罗斯作家。他在《卡拉马佐夫兄弟》中，借佐西马长老说的一席话，似乎可以作为俄罗斯画家作品的注脚。这一席话是：“……你们应该爱上帝创造的一切东西，它的整体和其中的每一粒沙子。爱每片树叶、每道上帝的光。爱动物，爱植物，爱一切的事物。”“一面吻着大地，一面无休止地爱，爱一切人，一切物，求得那种欣喜若狂的感觉。”如果不是有着深厚的精神底蕴，列维坦的白桦、希什金的松树，哪来那么感人的恒久魅力？在解读当代俄罗斯艺术家的作品时，它是否仍然是一种依托？深信读者会找到自己的切入点，透过作品的表征层面，感受到艺术家在隐喻层面中诉说的丰富情感。

当21世纪的曙光已在苍茫中显现，人类的月球探索者开始了对广寒宫冰决的寻找，我们正在斗室中摩挲编织着来自远方的画页，倾听白桦树叶的细语。作为编辑人，面对世界的飞速变化，文化多元又多元的发展，常常困惑彷徨。正是这些俄罗斯画家作品表达的执著，展示了人类精神生活的恒常性，抚平了我们心中的躁动和不安。在喧嚣的尘世中，获得这样一片如水的宁静，是难得的幸福。感谢俄罗斯的艺术家！他们是多么好的人啊！他们是大师级的人物，却没有一点张扬，平和坦诚，豪爽幽默，不时向我们表达他们对中国艺术的景仰。这种宽容谦逊，使你觉得神交已久。以至我们在给丛书定名时，选用了《当代俄罗斯画家作坊》一点也不张扬的书名。在俄语中，大师和工匠为同一单词，工作室和作坊也为同一单词。宽泛的词义，给我们留下了更大的认识空间，可以使人“去蔽”，使人澄明。

画册中收集的作品，从海明威的“冰山”创作理论说，确实只是艺术家辛勤劳动的冰山一角。在选编过程中，我们尽量收集重要的代表作，并展示与之相关的草图和局部。由于种种原因，会有不尽人意之处。这种遗憾，只得留在案头，作为一种职业的警策。

付梓之际，国家文化部外联局蒲通先生为我们出行频频联络的电话犹在耳畔；湖南省美协主席黄铁山先生，指导我们在俄罗斯艺术家山一般聚集的作品中攀爬搬选的身影仍历历在目；湖南师大外语学院高荣国先生、贵州省社会科学院陈训明先生在翻译时免不了搔搔头顶的神态似在昨天。当然，我们还永远不会忘记俄罗斯艺术研究院无私的帮助和香郁的咖啡。没有这么多好心人的帮助，我们会无所作为。

感谢桦林！感谢朋友！感谢艺术！

作者像

日林斯卡娅生平创作年表

1926年12月18日	生于莫斯科州波多尔斯克市。
1945—1947年	在莫斯科建筑学院学习。
1947—1952年	在莫斯科工艺美术学院学习。
1952年	与画家日林斯基结婚。
1953年	在列宁格勒高等工业艺术学校完成学业。
1954年	加入莫斯科美术家协会。
1956年	在“红色瓷器师”瓷厂工作。
1957—1959年	在科纳科夫瓷厂工作。
1978、1981、1993年	到德国作创作旅行。
1979年	与贝伦德戈夫、布留梅尔、日林斯基、克拉苏林、罗曼诺夫斯卡娅、沙霍夫斯基等人参加莫斯科画家的集体画展。
1985年1月15日	中风。
1985年	开始用左手作画。
1989年	开始画油画。
1992、1993年	到丹麦作创作旅行。
1995年2月26日	在莫斯科去世。

尼娜·日林斯卡娅

艺术家从对事物的观照感知走向对其本质的把握这一普遍追求，是20世纪艺术的显著特点之一。无论是绘画还是雕塑，都体现了这一特点。60年代后半期的俄罗斯雕塑家尼娜·日林斯卡娅所实践的先锋派艺术同样具有这一特点。尽管先锋派艺术家们雕塑风格不同，世界观的出发点也各异，但他们所特具的多姿多彩的探索都或多或少地受到以下两种倾向的振荡：一种倾向是极力透过事物和现象的外表发现其内在的构造和成分，从而最终弄清其存在的意义； 另一种倾向是感知可见的东西，不管是人是兽，还是树木、石块，均参与其中，并在这些实体中形成自己的世界。如果说在第一种倾向中存在着艺术实验精神，那么在第二种倾向中更多的是一种“活力主义”精神。

艺术实验及对生活活力的进一步刺激，成了20世纪先锋派许多代表人物的创作宗旨。日林斯卡娅的创作也带有活力主义的色彩。

日林斯卡娅的艺术宗旨最引人注目、最突出的表现，是其1977年创作的雕塑作品《两个艺术家》。这件雕塑的外形好像是一株树，它所展示的人物（作者及其丈夫日林斯基）正在作画，他们同周围环境处于充满活力的状态。这种活力性在形式的交叉和节奏的连贯中获得了有血有肉的生命。雕塑家把人的创造活动视为宇宙生命能通常的表现形式之一，而人与物质世界之间的界限似乎被模糊了，因为二者都被看作是具有灵性的宇宙形式。把物质世界看作是具有灵性的存在形式，也表现在日林斯卡娅的静物和风景作品中。她的思想之新不在于用雕塑形式来处理这些题材，而在于她与大多数静物美术家不同。使她感兴趣的，不是对描绘

日林斯卡娅在自己的花园里

日林斯卡娅在画室中

对象的表面处理，而是对其形体特征的差异，以及物体在空间里的不稳定状态和活力性的塑造。

若是将日林斯卡娅的艺术放在20世纪世界艺术运动的大环境中进行考察，在精神和风格语言方面比较接近她的雕塑家，我们只能说出两位。这便是较她年长的法国同时代人热尔明·黎什耶和艾齐因——马丁。这三位艺术家的共同特点在于，绘画意识表现得十分强烈。这不只是以微妙的起伏和对光的奇妙处理等手段来构造复杂的雕塑表面，更重要的是采用发展性构图，使之与周围空间发生作用，从而让自身得到肯定。在某种程度上，这种风格思想或许可以视为先锋派内部新巴洛克的一种特殊表现。

现实感受的紧张感也使日林斯卡娅与黎什耶及艾齐因——马丁相似。一般地说，惊恐的调子和潜在的紧张性是先锋派艺术的特征。然而在这三位艺术家的雕塑作品中，生活的剧烈冲突与不和谐感表现得尖锐而又直接，从而导致结构不平衡、分割空间形体的节奏对比尖锐。

日林斯卡娅作品中节奏的变化与情感的表现相辅相成，不可分割。然而通过雕塑所表现的情感压力不仅

卡普良斯基／陶／1969／俄罗斯博物馆藏

送别 / 石膏 / 250×200×100cm / 1978

表现在《跌落者》等情节本身即具有灾难性的作品中，在没有外力作用的作品里也有所反映。以她为雕塑家卡普良斯基所作的雕像为例，乍看起来，这个衰弱的老人就是衰朽的化身，然而，其精神活力与思想感情的强烈都与其外貌形成鲜明对比。瘦骨嶙峋的躯体受到空间的强大挤压，不稳定的姿势加重了身体各部位的不舒适感。轮廓线的节奏变化无常，观众在追寻构图的轮廓时，似乎老是碰到障碍。同现实的冲突、孤独的感受、存在主义的惊恐等等。日林斯卡娅在作品中所揭示的东西，在某种程度上使其形象类似于贾科梅蒂的人物。

尽管艾齐因——马丁比日林斯卡娅年长30岁，热尔明·黎什耶也比她大二十多岁，他们命运的奇特呼应却不容忽视。无论是日林斯卡娅成为艺术家，还是两位法国雕塑家达到自己的创作顶峰，都是在社会因极权制度崩溃而产生的条件下实现的。在西欧，这一社会形势是在“纳粹”粉碎之后形成；在俄罗斯则要晚10年，是在斯大林去世、苏共二十二大对其进行猛烈的重新评价之后。

如何看待被极权主义粗暴蹂躏的20世纪艺术中的

乡村／带有大理石碎片的混凝土／500×300×250cm／1976

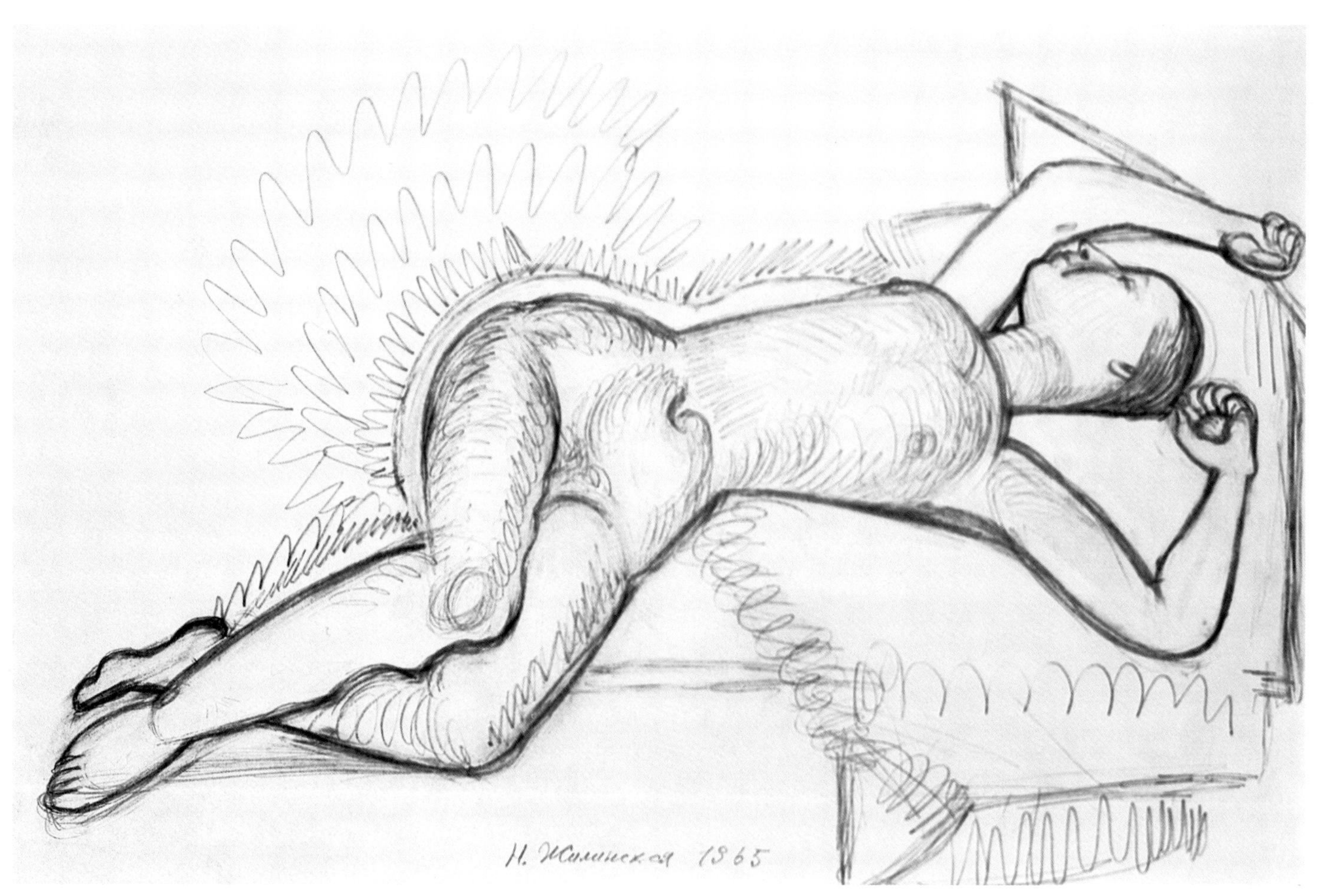

躺着的女人/素描/41 × 61cm/1965

先锋派倾向，是艺术家们当时所面临的一个重要问题。努力为先锋派恢复名义，这自然带有政治色彩。现代派的创作被看作是人类的一种自由，它同其他自由一起，遭受反动的国家机器的压迫。恢复先锋派的传统这一问题，苏联比西方显然更难于解决。许多从法西斯德国及其占领国移居其他国家的现代派艺术家，有可能继续忠于自己的艺术选择，进行工作，比如在美国、英国和瑞士。而在俄罗斯艺术中，由于从30年代以来官方推行人人必须遵循的“社会现实主义”教条，先锋派这条线便被粗暴地扯断了。30－ 50年代之间苏联同外界的文化联系与交流时断时续，十分微弱，传进苏联国土的艺术专业信息非常稀少。这种种情况都不可能让俄罗斯艺术家，特别是50－ 60年代俄罗斯文化中产生的新潮先行者们获得足够的当代世界经验。他们当中的大多数人是通过创作实践来窥探先锋派的风格特点。对于这批所谓的“六十年代人”，恐怕不能说他们的创作在整体上具有现代主义特征，而最好是说他们多多少少带有先锋派的倾向。赫鲁晓夫“解冻”时代所特有的社会生活民主化变革既不全面，也不彻底。而在60年代中期到来的所谓停滞时代，保守意识形态

科罗沃依和奥尔加／素描／44×39cm／1972

的教条和清规戒律重又加强。因此，忠于自己信念的“六十年代人”不得不捍卫这一信念存在的权利。无论是他们的社会活动还是艺术创作都显示出大无畏的公民精神。至于先锋派固有的艺术形式的批判性及其对于观众的强烈呼唤，“六十年代人”的艺术不仅在极大程度上具有这些品质，有时甚至带有某种政治宣言的色彩。

日林斯卡娅1964年创作的《成人与儿童》就是一个极好的例子。这是她的核心作品之一，其“抽象的人道主义”并不是用来讨好“社会现实主义”的信徒。照我们的看法，其最初的命名《保护儿童的男子》更符合这一雕塑作品的实际内容。的确，这件作品会使人产生生命脆弱的印象及为未来担心的感受，与当年推行的颂扬社会主义世界秩序的方针格格不入。

日林斯卡娅创造的隐喻性形象，充满了对于灾难可能降临的强烈预感。具有象征意义的是，这件作品是在加勒比海危机不久之后诞生的，这场危机几乎引发了一场核战争。

尼娜·伊凡诺夫娜·日林斯卡娅（出嫁前姓科切特科娃）生于莫斯科郊区波多尔斯克的一个工人家庭。

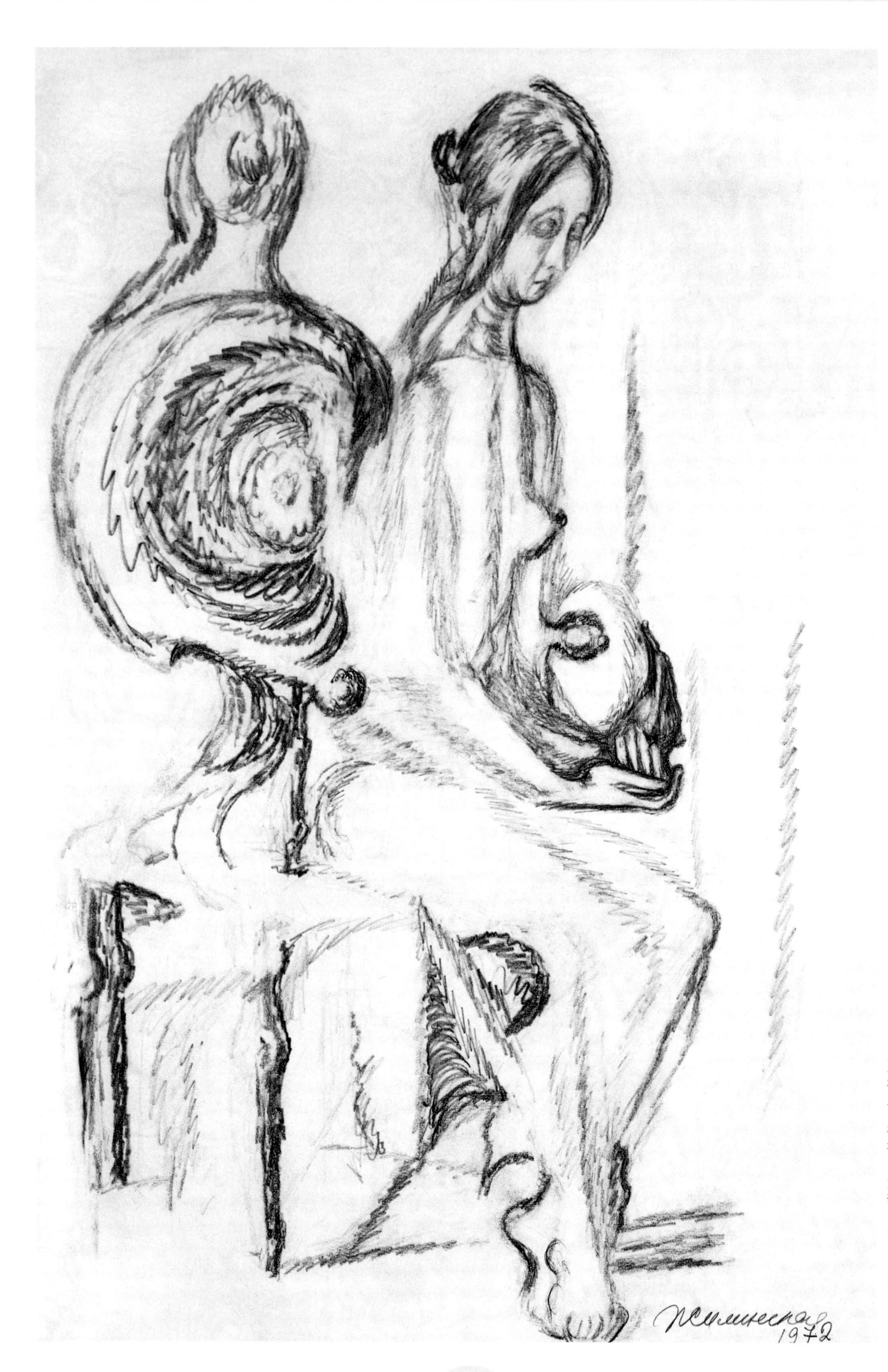

坐在椅上的柳达／素描／56 × 39cm／1968

梨树 / 素描 /50 × 73cm/1972

1945年进入莫斯科建筑学院。两年之后，当她明白造型艺术才是自己的真正使命时，便转入莫斯科工艺美术学院。然而1952年该院被关闭，日林斯卡娅只好再转到列宁格勒高等工业艺术学校，一年之后在那里完成自己的学业。她大学时代的老师有杰伊涅卡、马杰鲁诺夫等人。

杰伊涅卡无疑是20－30年代俄罗斯艺术的重要人物之一。他当时在莫斯科工艺美术学院讲授构图学。尽管他本人主要是画家，可是对于学习雕塑的日林斯卡娅，他的教导依然产生了不容忽视的影响。力量、变化、富于节奏的兴奋状态等杰伊涅卡构图所特具的东西，如同其庄严的激情一样，都为日林斯卡娅接受，并在她晚年的创作中映射出来。

马杰鲁诺夫是20世纪俄罗斯著名雕塑家马特维耶夫的学生。他伟大老师的雕塑作品以无可挑剔的专业技术著称于世，而他本人则最善于培养学生对这种精湛技艺的追求。正因为如此，无论是日林斯卡娅，还是波洛戈娃、沙霍夫斯科伊和热特科娃等同时向马杰鲁诺夫求教的学生，在其独立创作的最初阶段都特别重视继承马特维耶夫的传统。

苹果树下／素描／61×43cm／1976

同著名雕塑家叶菲莫夫，特别是同大艺术家法沃尔斯基的多年交往，不仅对日林斯卡娅的专业进步，而且对他本人的个性形成，均起了相当大的作用。前者是雕塑的绘画性变化因素及节奏、形体与色彩统一论的积极拥护者；后者文化修养广泛，是一个出色的思想家与教育家，莫斯科木刻艺术学校的首脑，书籍装帧艺术大师。1952年尼娜·科切特科娃与日林斯基结婚。日林斯基是叶菲莫夫妻子的亲戚，因而在婚后的20年中，他们一直同叶菲莫夫及法沃尔斯基住在莫斯科城边诺沃基列耶沃的一幢房子里。由于经常同这两位师长及其门徒的接触，并得见叶菲莫夫妻子——一位别具一格的女画家的遗作，日林斯卡娅夫妇如同置身于独特的美术学院，可以在这里深入认识老一辈艺术家的专业经验，使自己对那些传递往昔艺术遗产的有效刺激更加敏感，更充分地认识20世纪世界艺术的历史。

日林斯卡娅是赫鲁晓夫“解冻时期”的艺术家 。国家生活中接二连三发生的事件促使人们放弃单一的世界观，放弃对于现存社会秩序的热情接受，放弃意识形态教条，并最终放弃艺术创作中官方所严格规定的公式化。

被打死的鸟 / 素描 /36 × 45cm/1977

当时开始起步并向斯大林时代“社会现实主义”的残酷教条开战的“新潮”艺术家们首先将有血有肉的人的自然感受和行为世界引入艺术，接着恢复艺术的本质特征，亦即按照艺术的规律进行创作，以反对自然主义地模仿生活的倾向。

日林斯卡娅大学毕业后的第一批作品之一《家》颇能说明问题。它所选用的材料是当时极少用于雕塑的耐火黏土。这种材料能使观众感受到雕塑过程本身及其形体的不断扩张。人体的展示方式也很新颖：不是热情洋溢装腔作势的英雄，而是生活中普普通通具有真情实感的人。不久前仍笼罩艺术的服务于某种超个性思想的宣传，在这里让位于对爱情，对人类心心相印的关系，对繁重的日常生活的思考。

在对新的人生观和艺术观进行探索的进程中，日林斯卡娅创作了一些小型雕塑。这比架上雕塑更能为她的实验提供自由。在50年代后半期，她在陶艺方面做了许多工作，也颇见成效。与自然紧密联系的欢乐及表现人类天性的自由，乃是她陶艺作品的主要题材。浴场休息、海边儿童游泳以及情侣亲吻等场面中，能使人感觉到艺术家对人物、水流、土地以及花木等某种有机的

涅斯杰罗娃/素描/50×37cm/1975

联系和本质的参与。

日林斯卡娅对所谓“严肃风格”作出了自己的贡献，这种风格的产生是她和许多同时代艺术家共同努力的结果。年轻的“六十年代人”反对把生活描绘成和谐、欢乐和富足王国的原则，而这一原则乃是斯大林时代艺术的特征。他们认为必须不加粉饰地展现日常生活的英雄气概：日复一日的繁重劳动，单调的生活，工人同自然抗争的悲剧性等等。新风格简洁的艺术结构正好与其精神相符。这种艺术结构被当时的批评界用下述公式来表示：综合——简洁——表现力。

日林斯卡娅50年代末的作品中，雕塑《阿尔泰山挖掘工》、《女建设者》和群雕《瓷器厂艺人》及《关于艺术的谈话》均多多少少带有“严肃风格”特征。群雕《成人与儿童》以几何图形、对观众意识的积极呼唤以及对内容和艺术语言公开的评论性，成了作为“严肃风格”艺术大师的日林斯卡娅的最高成就。

60年代后半期，日林斯卡娅创作了由《诞生》、《少年》和《跌落者》这三件作品组成的雕塑系列。它们中的每一件都是独立的、完整的，似乎用不着同其他两件摆在一起。然而主题构思的总体性将它们联系起

画家与圣母 / 素描 / 39 × 30cm / 1978

树根／素描／40 × 62cm/1978

来：以隐喻方式分别展现人生的三个阶段。其中，《跌落者》的表现力尤其强烈。它所展示的人是某种灾难的牺牲品。这件1965年完成的作品曾被视为刚刚寿终正寝的赫鲁晓夫“解冻”的安魂曲，被认为是对“六十年代人”浪漫主义幻想破灭的讽喻。它属于把“严肃风格”同“六十年代人”后期创作分隔开来的“边界作品”之一。这后一时期反映了他们的回归自我，他们内心对所谓停滞时期的保守主义思想压迫的反抗，以及他们的异端哲学思想。

在60年代中期取代“解冻”而开始的勃列日涅夫时期社会意识形态的逆转，使“六十年代人”面临非此即彼的选择：要么放弃自己的信念，要么采取精神反对的立场。日林斯卡娅选择了后者。她艺术中的紧张气氛加重了。同现实不协调以及流露出存在主义孤独的感伤情绪成了她作品中人物的特点。同时，她艺术中常常显现风格探索和实验矛盾的时期亦告结束。

为了把日林斯卡娅世界观和创作中发生的实质变化展示得更清楚一些，我们不妨来比较一下按同样处理方式（同样是座像）和同样材料（耐火黏土）创作的两件人像：泽连斯基和卡普良斯基这两位雕塑家的雕

树林／素描／61×43cm／1979

像。它们产生的时间相差六年：前者作于1963年，后者作于1969年。两件作品都涉及艺术家与其思考环境的对立这一主题。如果说泽连斯基专注的忧郁神情显现出自信感和对自身力量及准备积极行动的意识，那么卡普良斯基的雕像则因外部空间力量的压缩而发生变形，但其依然桀骜不驯的思想和感情同肌体的顺从形成对比。雕塑所展示的泽连斯基是60年代中期日林斯卡娅所见到的样子，当时她正醉心于“严肃风格”艺术。卡普良斯基则是作为某种坚韧不拔地对抗周围现实的榜样。形体空间的不平衡，整个构图的不稳定感亦即新巴洛克的紧张性，成了这一冲突的雕塑当量。

70年代到80年代初是日林斯卡娅创作的成熟时期。她的个人风格和雕塑手法均在此时形成。她的艺术摆脱了被动性，超越于日常琐事之上，越来越广泛地反映出艺术家对于人类本性、精神修养以及艺术家的使命等问题的思考。

1972年的作品《艺术家》的主题是：创造者的独立及其所获得的遭遇。置于“崖孔”之中的主人公似乎同它长在一起，就像圣塞巴斯蒂安一样。然而那射穿他躯体的箭不是作为致人于死地的武器，而是作为某种

拉维尼娅／素描／61×42cm／1978

放射元素，如同主人公精神力量的显示器。在这种情况下，作品所表现的场面的激烈程度，更胜于人物的表情、动作和姿态。作品保持着雕刻刀在木头上果断凿刻的痕迹，它们有如风在水面上激起的涟漪。

日林斯卡娅成熟期的雕塑，一般地说，是“双平面”的。其形体似乎被想象中的前后两个平面压紧，无法在空中自由流散，但却因受这种刺激而纵向或横向扩张。这位艺术家似乎是在实践法沃尔斯基的教导：图形应当是平面性的，但不能是虚幻和平板的，“雕塑应当强调与它相结合的平面”。（法沃尔斯基《文学理论遗产》）这说明了看似奇特但却十分肯定的巴洛克风格的法则。对此，沃尔夫林也有精彩的论述：“只有在这种条件下才能感受到克服平面之美：具有某种平面性。”（沃尔夫林《艺术史基本概念：新艺术的风格演变问题》）

日林斯卡娅的构图通常是这样一种格局：各个平面之间互相接近又强烈地互相对抗。这些平面使图像变形，加强其动感与节奏感，促进几何图形化形体的内在力量和活力的显现。

色彩也常常参与平面性结构的形成（通常为覆盖

坐女／素描／55×36cm／1978

妈妈／素描／61 × 42cm／1978

躺着的女人/素描/40 × 49cm/1979

性的暖色）。白色和红色似乎向外突出，与土褐色及绿色互相交替，使形体的起伏变化多姿多彩，并大大加强其活力。对于日林斯卡娅成熟期的创作来说，雕塑《两个哲学家》颇具代表性。它所展现的是索洛维约夫与弗洛连斯基。若是把这件作品看成是对于某一具体事件的表现，那显然是一种错误。两个人物不仅属于两代人，而且属于两个不同的时代：索洛维约夫在1900年去世时，外省少年弗洛连斯基刚到莫斯科大学。在这里，日林斯卡娅关注的是对19世纪末至20世纪初俄罗斯宗教哲学功绩的尊重。

这一学派的先驱者索洛维约夫及其全盛时期的代表人物弗洛连斯基如同象征智慧的两株树干。思想的高度、内在的坚定性及自身孤独意识在二人的脸上都反映出来。日林斯卡娅让形体非物质化，使它们似乎受到前后两个假想平面的挤压，用色块破坏其形体的整体性……总而言之，千方百计地强调两位主人公的坚韧不拔和清心寡欲、摒绝尘世享受的精神。

毫无疑问，日林斯卡娅关于两位俄罗斯宗教哲学家的命运，关于他们难以抑制的责任感和高尚的道德立场的思考，是由于“六十年代人”对停滞时期的社会

躺着的女人/素描/40 × 49cm/1979

进程所产生的疑问引发和激化的。

日林斯卡娅关于责任、使命的思考以及在逆境中也要忠于自己对真理的追求的思考，也反映在1975年创作的《艺术家与模特儿》中。在这里，人的精神活动扩展到外部世界，最终成为雕塑形体自身品质的首要因素。日林斯卡娅在用陶土时，使用了各种各样的手段，如增大绘画性，加强雕塑形体的表现力，使形体表面隐蔽的凹陷及洞眼形成强烈的对比关系等。于是，物质与精神，客体与艺术家笔下新的现实以及现实与想象等随着创作的进展而紧密地结合在一起。艺术家与世界相互创造，用自己的能量充实对方。

随着岁月的流逝，日林斯卡娅的先锋派自我意识越来越强烈。她在70年代末写道："我鼓足勇气扩展物体的结构观念，使之从物理状态过渡到精神状态。""终极目的是思想，是假定性的现实，而不是对细节的自然主义刻画。"她还说，"结构观念不是框架结构，而是有意识的、刻画出来的、明晰的、不受钳制的、自由的思想的运动。"(以上均引自日林斯卡娅尚未发表的日记)

日林斯卡娅当时创作的素描，特别是她1981年出访德意志民主共和国期间所作的《亚琛大教堂》组画，

瓦夏为加林娜画像／素描／61 × 42cm／1980

加林娜/素描/58×45cm/1980

可作为上述言论的注脚。肯定有力的铅笔笔触似乎同艺术家澎湃的思想感情融合在一起，既表达出对眼前宏伟景观的惊叹，也显示出她将自己所见到的东西改造成纸上的新物象，并最终表现出来这样一种尝试：穿透肉眼所及的外部屏障，把握那些隐蔽但可感知的总体结构规律。

力求在雕塑中物化某种宇宙律动，即那种不仅不受我们所见到的有生命和无生命的物体制约，而且将他们纳入其力场范围的宇宙节律，也是日林斯卡娅70至80年代之交雕塑的特点。引人注目的是，这一时期她主要是制作木雕。深陷的刻痕，几何式图形，边缘的激烈碰撞，起伏的巨大落差……如此等等，使艺术家得以取得主宰和行动的效果，显现出深入那源于无限的神秘节奏的力量。

艺术家似乎在恢复本世纪最初十年俄罗斯立体未来派的探索，其中包括波波娃雕塑性绘画的试验。然而，与俄罗斯先锋派不同，日林斯卡娅所走的毕竟不是纯形式的创作之路。离经叛道的意识，以及参与当代生活的强烈感受，不可避免地把她从囊括一切的生活悲剧感引向对具体的人的命运和对今天的思考。

卡捷林娜／素描／61 × 43cm／1980

精疲力尽的女人/素描/42 × 50cm/1980

日林斯卡娅创作演变的自然进程被1985年所患的严重中风打断了。由于右手不听使唤，她不得不放弃雕塑创作。她晚年的作品是用左手绘制的油画和素描，起初，对于失语的日林斯卡娅来说，作画乃是她与人交流思想、用形象恢复同外界联系的手段。但后来，她的作品获得了强烈而又独特的审美内涵。

在日林斯卡娅，如果说先前绘画是一种穿透可见物体外壳的手段和把握宇宙节律及结构的步骤，那么现在力求让现实变形，对之进行有意识的雕塑性处理。疾病限制了日林斯卡娅的活动范围，但却发展了她对日常生活本身带有强烈怀旧情绪的理解，向她展示了寻常事物和普通事件的价值。如同一切天真的艺术家一样，她显示出对细节的敏锐观察力，迷醉似的一一"翻阅"那些进入她视野的东西；她虽然不在乎量度的是否符合空间透视法则，却能奇妙地、"全方位"地接受世界。

日林斯卡娅这一时期最优秀的成果之一，是1990年旅居西班牙加泰洛尼亚期间所作的铅笔画。艺术家把这个从未见过的，对俄罗斯人来说充满异国情调的世界理解成一个美丽的童话。种种奇特的景观像万花

同吉玛在一起的自画像／素描／60 × 43cm／1981

同拉维尼娅在一起的自画像／素描／61×64cm／1982

筒一样令她激动万分。她不断寻找写生地点，在画面上显得比其他人更富有活力。疾病改变了艺术家对世界的看法和笔法，但是并未止住她对先锋派宇宙节奏规律的追踪。

对节奏的喜好也鲜明地表现在《吉马为西班牙女子画像》这幅素描中。这幅作品是在比利牛斯旅居期间完成的。为了表现肖像绘制过程的变化，日林斯卡娅采用了同时展示法：她把画家的头部缩小五倍，同时又让人物的面部不断从模特儿移向画布，又从画布移向模特儿。

福希昂说得好："没有什么比试图展示形式对其有机的内在逻辑的服从更具诱惑力。如同因弹簧作用而转动的轮盘使沙粒形成各种各样的形体一样，某种比任何奇妙幻想更为强大、更为严格的神秘原则能让通过分解、移动基调和相互关系而产生的形式获得生命。"（福希昂《形式的生命》）

从1989年到1995年去世，日林斯卡娅画了许多油画。促使她从事这方面创作的显然是以下两种情况。首先，是对大型创作的怀念和超越素描框架限制的愿望。其次，是对人与事物寻常存在的紧张性乃至多姿多

奥尔加和沃洛佳／素描／61 × 43cm／1983

牛蒡／素描／46×25cm／1981

鸢尾花／素描／62×42cm／1983

彩性的感受；严重的疾病和自己不能充分参与周围生活的意识，使这一感受变得更加强烈。画家之需要色彩是把它作为情感因素的载体，作为将生活的紧张性接受物质化的一种手段。

无论是什么进入作为画家的日林斯卡娅的视野，她都不会对它无动于衷。她画自画像，为家庭成员、朋友以及熟识的艺术家画像，描绘室内装饰，为奇特地缠绕的开花植物作静物画……日林斯卡娅的画作中，除了五彩缤纷的现实印象之外，不时还会出现童话情景，以及宗教绘画题材。

尽管日林斯卡娅晚年对世界的观察以精细为特征，这精细有时还相当深刻，但对于全面把握现实的需要从未离开过她。她的画作结构充满潜在的紧张感。这里既没有柔和的抒情与圆润的轮廓，也没有渐进的色调。素描的线条显得刚劲，轮廓呈几何图形；油画固有色的对比十分刺眼，人物充满疑惑的目光显得严肃和静止。日林斯卡娅早期创作中出现的那种与存在主义世界观的自然呼应，重又表现在她晚年的画作中。

日林斯卡娅晚年的创作之所以值得重视，不仅因为它是一种艺术事实，还是某种功绩的证明，并且带有

西班牙・别兹鲁桥/素描/50 × 70cm/1990

遭受疾病折磨者为其个性作艰苦斗争的烙印。日林斯卡娅思考生活，不知疲倦地把这种思考画进油画和素描之中，似乎是以创作弥补其实际生活能力之不足。创造意识使画家直到最后一刻仍在坚持完成自己的崇高使命。

尼娜・伊凡诺夫娜・日林斯卡娅似乎获得了两次创作生命。她将第一次生命贡献给努力创新和在艺术中肯定人的价值的斗争，把第二次生命用来克服命运极其沉重的考验。在这两种情况下，日林斯卡娅都获得了胜利。

瓦・列别捷夫　撰文
陈训明　张伟　摘译

花卉／素描／62×42cm／1983

西班牙 · 坎普罗顿 / 素描 /50 × 65cm/1990

西班牙·圣帕马／素描／70 × 50cm／1990

西班牙教堂/素描/65 × 50cm/1990

西班牙 · 别萨鲁街景 / 素描 /65 × 50cm/1990

吉玛为西班牙女人画像／素描／95×60cm／1990

奥尔加 / 铜雕 / 106 × 33 × 28cm / 1963
成人与儿童 / 石膏加彩 / 320 × 100 × 150cm / 1964 ▶

骑士 / 铜雕 / 125 × 70 × 25cm / 1967

花瓶（钵） / 陶塑 / 35 × 40 × 25cm,30 × 25cm / 1968

椅上的人 / 石膏 / 50 × 50 × 30cm / 1968

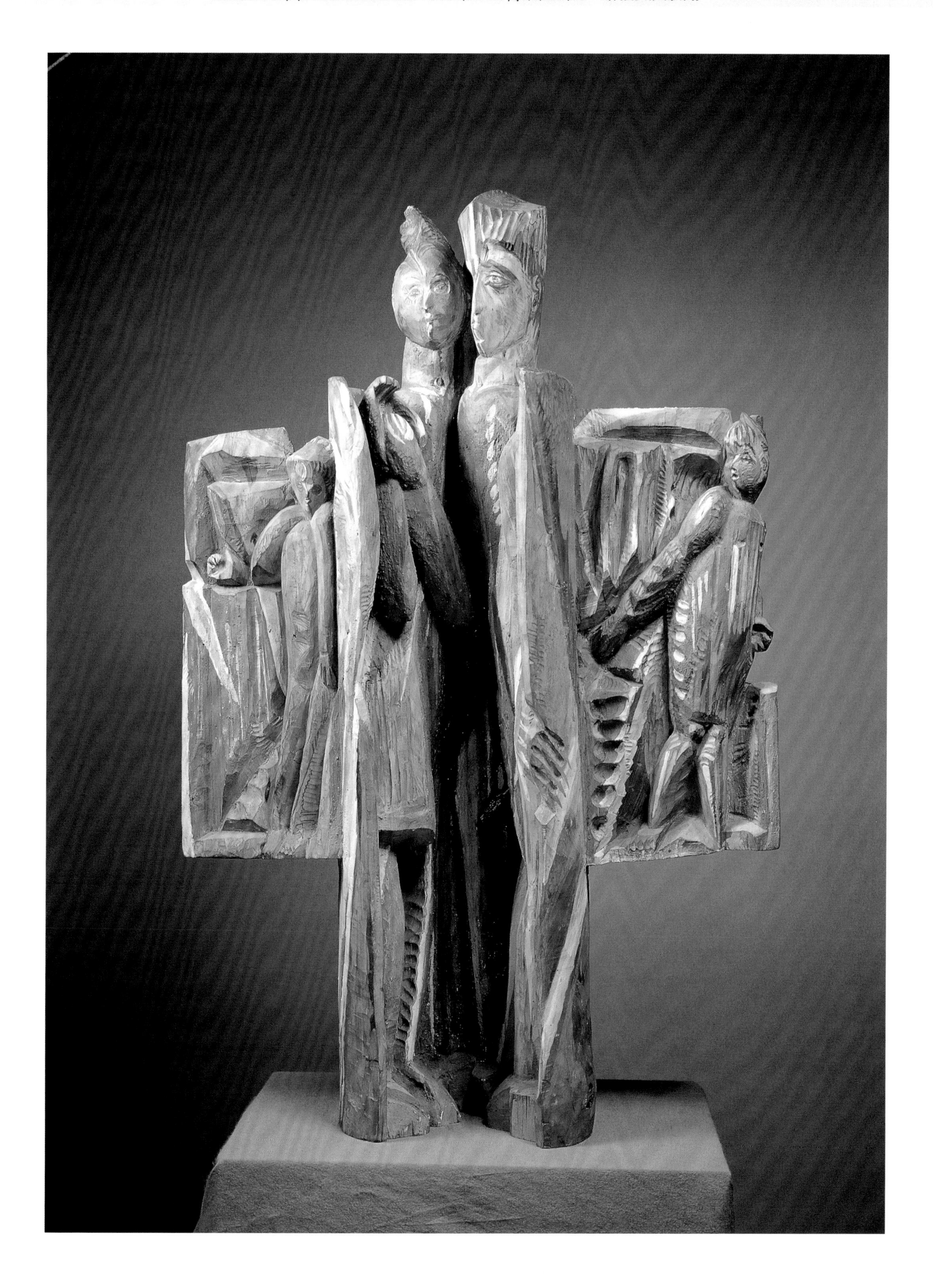

家 / 木雕加彩 / 100 × 80 × 40cm / 1968 / 特列恰柯夫画廊藏

两个画家 / 石膏 / 95 × 75 × 60cm / 1970

流放 / 木雕 / 120 × 40 × 40cm / 1976

索尔仁尼琴 / 铜雕 / 60 × 50 × 50cm / 1970

负重女人 / 铜雕 / 70 × 60 × 50cm / 年代不详

◀ **流放** / 陶塑 / 90 × 60 × 70cm / 1972
人与树 / 掺和纤维的陶塑 / 80 × 40 × 40cm / 1972

画家与模特儿 / 陶塑 / 50 × 30 × 40cm / 1972 / 特列恰柯夫画廊藏
两个哲学家 / 木雕加彩 / 100 × 40 × 30cm / 1975 / 特列恰柯夫画廊藏 ▶

鸽子 / 石膏 / 52 × 40 × 40cm / 1975

模特儿 / 陶塑 / 75 × 30 × 20cm / 1975

迪娜 / 陶塑 / 65 × 20 × 15cm / 1975

两个艺术家 / 陶塑 / 75 × 45 × 40cm / 1977

摆脱困境 / 木雕加彩 / 150 × 160 × 70cm / 1976-1994

摆脱困境（局部） ▶

被打死的鸟 / 陶塑 / 60 × 50 × 40cm / 1978

教育 / 陶塑 / 75 × 50 × 30cm / 1978

阵亡之马 / 木雕加彩 / 150 × 70 × 125cm / 1978

画家与模特儿 / 陶塑 / 70 × 50 × 50cm / 1978

家 / 陶制浮雕 / 65 × 65cm / 1978

家（局部）

◀模特儿 / 铜雕 / 100 × 21 × 23cm / 1979
模特儿（局部）

丧家之犬 / 木雕加彩 / 100 × 120 × 100cm / 1979

背负十字架的人 / 木雕加彩 / 148 × 89 × 67cm / 1979

人类之罪 / 木雕加彩 / 150 × 160 × 60cm / 1980 / 特列恰柯夫画廊藏

亚当与夏娃 / 木雕加彩 / 190 × 50 × 50cm / 1980 ▶

别列雅斯拉夫尔的画家 / 木雕加彩 / 50 × 130 × 70cm / 1982 / 路德维希收藏

别列雅斯拉夫尔的画家（局部）

喜讯 / 木雕加彩 / 132 × 88 × 40cm / 1983 / 路德维希藏

阿赫玛托娃 / 木雕 / 140 × 60 × 60cm / 1979 / 路德维希藏

◀ 呵护 / 木雕 / 190 × 90 × 50cm / 1983
呵护（局部）

泉源 / 素描淡彩 / 90 × 43cm / 1988

受难节之夜 / 素描 / 65 × 52cm / 1990

西班牙家庭 / 胶彩画 / 75 × 50cm / 1991

吉玛作按摩 / 胶彩画 / 66 × 55cm / 1991

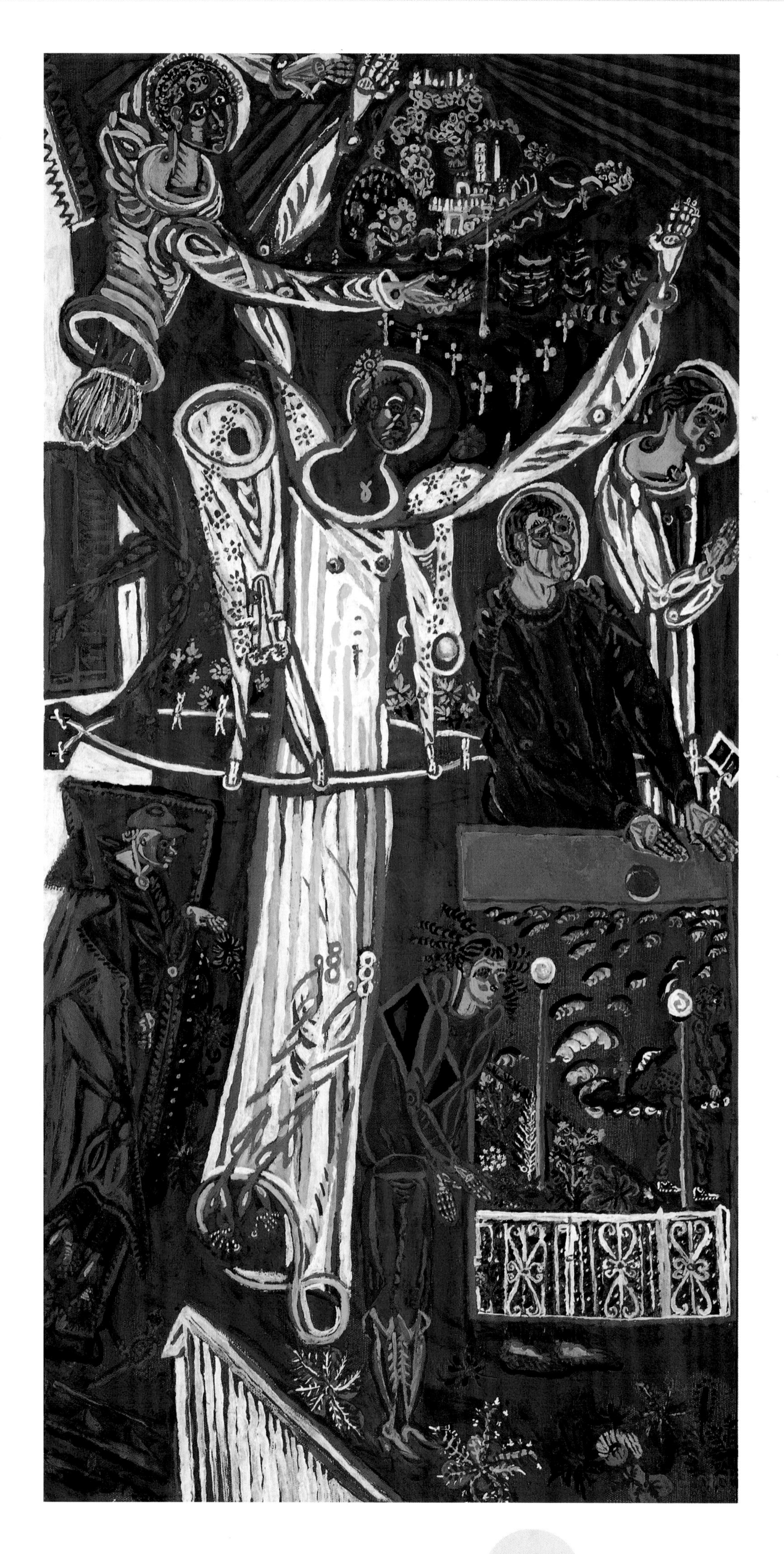

◀ 风 · 升天 / 胶彩画 / 100 × 50cm / 1991

西班牙 · 坎普罗顿 / 胶彩画 / 60 × 73cm / 1991

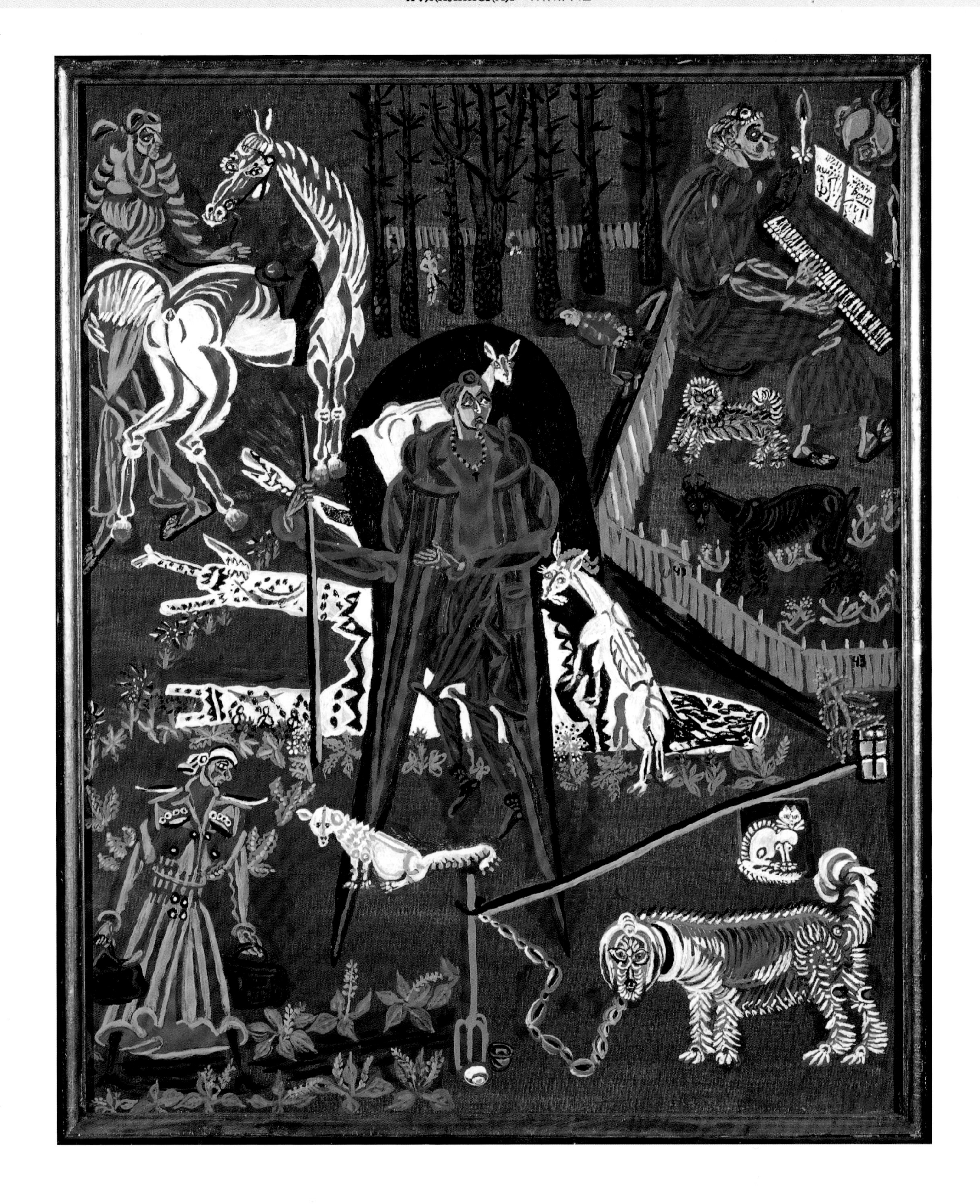

女邻伊拉 / 胶彩画 / 61 × 48cm / 1992

奥尔加·里希茨卡娅 / 胶彩画 / 40 × 33cm / 1992

维克多、尼娜与吉玛 / 胶彩画 / 73 × 53cm / 1992

玛琳娜与帕沙 / 胶彩画 / 90 × 80cm / 1993

◀ **生活场景** / 木板多联彩画 / 110 × 336cm / 1993-1995
带圣母像的静物 / 胶彩画 / 59 × 47cm / 1993

带圣母像的静物（局部）

生活场景/ 木板多联彩画 /尺寸不详

家长与日常生活 / 胶彩画 / 90 × 45cm / 1990 ▶

两个王子 / 胶彩画 / 80 × 65cm / 1993

丹麦宫廷事务大臣及其夫人 / 胶彩画 / 72 × 54cm / 1993

弗里德利克亲王 / 胶彩画 / 72 × 51cm / 1993

弗里德利克亲王（局部）

别里基茨塔公主（局部）

别里基茨塔公主 / 胶彩画 / 70 × 51cm / 1994

里赫杰尔亲王 / 胶彩画 / 69 × 49cm / 1993

吉玛为丹麦女士玛格丽特二世画像 / 油画 / 哥本哈根皇家博物馆藏

褐色背景的花 / 胶彩画 / 69 × 48cm / 1993

绿色背景的花 / 胶彩画 / 54 × 42cm / 1993

画室一角▶

当代俄罗斯画家作坊
丛书策划 萧沛苍
李路明
丛书主编 刘勉怡
整体设计 刘勉怡

日林斯卡娅
责任编辑 郑宝雄
责任校对 彭 英

出版发行: 湖南美术出版社
地 址: 长沙市人民中路103号
经 销: 湖南省新华书店
制 版: 深圳华新彩印制版有限公司
印 刷: 利丰雅高印刷(深圳)有限公司
开 本: 635 × 960mm 1/8
印 张: 14
1998年4月第一版 1998年4月第一次印刷
印 数: 2000册

ISBN7 - 5356 - 1083-8/J · 1004 定价: 128.00元